共倡开放包容　共促和平发展

——在伦敦金融城市长晚宴上的演讲

（2015年10月21日）

习　近　平

人　民　出　版　社

共倡开放包容　共促和平发展

——在伦敦金融城市长晚宴上的演讲

（2015年10月21日）

习　近　平

尊敬的叶雅伦市长，

尊敬的安德鲁王子殿下，

女士们，先生们，朋友们：

大家好！很高兴在伦敦金融城同大家见面，相信我们会共同度过一个愉快的夜晚。

这次我应伊丽莎白二世女王邀请对英国进行国事访问，旨在推动中英全面战略伙伴关系得到更大发展，更好造福两国人民。

首先，我谨代表中国政府和人民，并以我个人名义，感谢英国王室、政府和人民对我们的热情接待，向在座各位，向友好的英国人民，向长期致力于中英合作和中英友好事业的各界人士，致以诚挚的问候和良好的祝愿！

21 年前，我曾经访问过英国，到了伦敦、牛津、格拉斯哥、爱丁堡等地，亲身感受了英国的悠久历史、独特传统、充沛活力。再次来到英国，看到耸立的大本钟，看到潋滟的泰晤士河，我有一种“不知何处是他乡”的感觉。此时此刻，有关英国的记忆不断在我脑海中闪现，我想到了英国资产阶级革命、工业革命、宪章运动、诺曼底登陆，想到了莎士比亚、拜伦、雪莱、萧伯纳，想到了培根、克伦威尔、丘吉尔，想到了托马斯·莫尔、约翰·洛克、亚当·斯密、达尔文、阿诺德·汤因比、李约瑟，想到了《双城记》、《雾都孤儿》、《简·爱》、《鲁滨逊漂流记》，想到了福尔摩斯，当然还有卡尔·马克思、弗里德里希·恩格斯……

在漫长的历史进程中，中国人民和英国人民都创造了灿烂的文明，对人类文明进步产生了深远影响。中国是茶的故乡，英国则将下午茶文化发挥到极致。莎士比亚、华兹华斯、简·奥斯汀、狄更斯等人的作品让中国人感受到英国传统文学的魅力，《猫》、007系列电影、《哈利·波特》、《神探夏洛克》、《唐顿庄园》等当代英国文艺作品也受到中国观众喜爱。贝克汉姆等足球明星，曼联、阿森纳等俱乐部在中国拥有众多球迷。中国在英国的留学生超过15万；汉语热遍及英伦三岛，600多所中小学开设了中文课程。今年是历史上首个中英文化交流年，两国艺术家的交流精彩纷呈。这一切，印证了中英友好已深入人心，两国关系长远发展有着坚实的民意和社会基础。

伦敦是世界历史文化名城，金融城则是伦敦的心脏，在这里可以感受到现代英国金融发展、经济跳动的强劲脉搏。在这一平方英里的土地上，管理着全球4万多亿美元的庞大资产，创造了英国3%的国内生产总值，中国五大银行均设立了分支，伦敦人民币离岸市场蓬勃发展，首支人民币货币市场交易所基金也在伦敦证券交易所挂牌。可以说，金融城既是中英深度合作的一个缩影，也是全球开放的一个生动诠释。

当今世界，开放包容、多元互鉴是主基调。在21世纪人类文明的大家园中，各国虽然历史、文化、制度各异，但都应该彼此和谐相处、平等相待，都应该互尊互鉴、相互学习，摒弃一切傲慢和偏见。唯有如此，各国才能共同发展、共享繁荣。

当今世界，相互联系、相互依存是大潮流。随着商品、资金、信息、人才的高度流动，无论近邻还是远交，无论大国还是小国，无论发达国家还是发展中国家，正日益形成利益交融、安危与共的利益共同体和命运共同体。冷战思维、阵营对抗已不符合时代要求。

当今世界，和平、发展、合作、共赢是主旋律。世界经济复苏进程曲折，国际和地区热点此起彼伏，恐怖主义、网络安全、气候变化、重大传染性疾病等全球性挑战仍很严峻。面对前所未有的挑战，没有任何一个国家可以独善其身。世界各国需要以负责任的精神同舟共济、协调行动。

女士们、先生们、朋友们！

在当今世界复杂多变的形势中，中国发展日益受到各方关注。一段时间以来，国际上对中国的各种看法和评价众说纷纭，其中有“唱多”，也有“唱空”，还有“唱衰”，有赞许、理解、信心，也有困惑、疑虑、误解。

当然，了解和理解一个有着5000多年文明、56个民族、13亿多人口的大国，确实不是一件容易的事情，但最好的判断就是以事实为依据，不要雾里看花、水中观月。这里，我愿就大家最感兴趣的几个问题谈谈看法。

第一，中国人民走的是历史选择的道路。道路决定命运。一个国家，一个民族，只有找到适合自己条件的道路，才能实现自己的发展目标。改革开放37年来，中国经济年均增速近10%，成为全球第二大经济体，6亿多人口摆脱贫困，人均国内生产总值超过7000美元。中国用几十年时间走完了发达国家几百年走过的发展历程。这充分说明，中国人民正走在正确的道路上。

历史是现实的源头。近代以后，中国饱受战乱动荡，历经长达一个多世纪的磨难。100多年前，中国人民开始“睁眼看世界”，努力探寻救国救民的道路。中国民主革命的先行者孙中山先生曾经到英国求学。在经历君主立宪制、议会制、总统制等的失败尝试后，中国最终选择了社会主义道路。这是历史的选择、人民的选择。诚如英国哲学家罗素所说：“只有中国人最了解自己”，“只有他们自己慢慢摸索出的解决办法才是长久之计。”

中华民族历来注重变革创新。中国社会主义不是教科书里的教条，不是刻板僵化的戒律，而是在实践中不断发展变化的生命体。我们在实践中不断完善，在发展中不断变革，形成和发展了中国特色社会主义。中国特色社会主义就是要建设社会主义市场经济、民主政治、先进文化、和谐社会、生态文明，促进人的全面发展，促进社会公平正义，逐步实现全体人民共同富裕。

“履不必同，期于适足；治不必同，期于利民。”世界上没有放之四海而皆准的发展道路。只有能够持续造福人民的发展道路，才是最有生命力的。

第二，中国人民要的是更加美好的生活。当前，全中国人民正在为实现中华民族伟大复兴的中国梦而奋斗。我们确立了“两个一百年”奋斗目标，即到2020年实现国内生产总值和城乡居民人均收入比

2010年翻一番,全面建成小康社会;到本世纪中叶建成富强民主文明和谐的社会主义现代化国家。我们深知,中国仍然是世界上最大的发展中国家。按照中国的标准,中国还有7000万人没有脱贫。按照联合国标准,中国还有2亿左右人口生活在贫困线以下。要让生活更加美好,中国人民还需要进行长期努力。

中国梦是中国人民追求幸福的梦,也同各国人民的美好梦想息息相通。中国发展必将寓于世界发展潮流之中,也将为世界各国共同发展注入更多活力、带来更多机遇。中国是一个负责任大国,在国际金融危机期间我们同国际社会风雨与共,为世界经济复苏发挥了“稳定器”和“发动机”的作用。当前,中国经济增长对全球经济增长的贡献率仍接近30%。我们正在加快推进新型工业化、信息化、城镇化、农业现代化,发展资本市场,提高开放型经济水平,中国的进口和出口、引进外资和对外投资将更加均衡。中国正在大力推进创新驱动发展战略,李约瑟在其巨著《中国科技史》中深入总结了中国古代科技发展的成就,中国要紧跟新的科技革命潮流,努力创造一流的科技成果。预计未来5年中国将进口超过10万亿美元的商品，对外投资规模将超过5000亿美元，还将有超过5亿人次出境参观访问、旅游购物。这对世界经济发展无疑是重大利好。中国愿同包括英国在内的国际社会一道，以实实在在的行动释放出更多潜力，实现更好发展。

第三，中国人民想的是和平与发展的世界。和为贵、和而不同、协和万邦等理念在中国代代相传，和平的基因深植于中华民族的血脉之中。近代以后，中国人民历经苦难，所以更珍视和平；中国致力于发展，所以更需要和平；中国期待美好未来，所以更爱护和平。中国坚持走和平发展道路，不接受“国强必霸”的逻辑。任何人、任何事、任何理由都不能动摇中国走和平发展道路的决心和意志。

中国倡导国际社会共同构建人类命运共同体，建立以合作共赢为核心的新型国际关系，坚持国际关系民主化，坚持正确义利观，坚持通过对话协商以和平方式解决国家间的分歧和争端。我们将同世界各国一道，维护世界和平，捍卫公平正义，推进共同繁荣。

中国的发展得益于国际社会，也必将回馈国际大家庭。中国一直是国际合作的倡导者和国际多边主义的积极参与者，将坚定不移奉行互利共赢的开放战略。随着中国实力上升，我们将逐步承担更多力所能及的责任，努力为促进世界经济增长和完善全球治理贡献中国智慧、中国力量。中国的发展不会牺牲别国利益，只会增进共同利益。中国将同各国一道，逢山开路、遇河架桥。世界上的路，只有走的人多了，才会越来越宽广。

女士们、先生们、朋友们！

中英相隔万里，但虽远犹近。中国视英国为重要伙伴和真诚朋友。第二次世界大战结束以来，中英关系总体走在中国同西方关系前列。近年来，两国关系和合作得到长足发展，正在稳定健康的快车道上加速行进。英国已经成为中国在欧盟内第二大贸易伙伴和投资目的地国，也是除香港外最大人民币境外交易中心。中国是英国在欧盟外第二大贸易伙伴和在亚洲首要投资目的地。从衣食住行到能源、基建、金融、科研，中英全方位务实合作成果早已“飞入寻常百姓家”，不断惠及两国民众。

30多年前，中国领导人邓小平和英国首相撒切尔夫人以超凡的战略眼光，促成两国创造性解决了香港问题，树立了以和平方式解决历史遗留问题的典范。30多年后的今天，英国在西方大国中率先申请加入亚洲基础设施投资银行。我期待英方继续在对华各领域合作中做引领潮流、开放包容的典范，成为西方同中国合作的领跑者，以实际行动践行“中国在西方世界的最强支持者”。

——我们要坚持长远和战略眼光，牢牢把握两国关系的大局和大势，持续充实中英全面战略伙伴关系内涵，不断增进战略沟通和政治互信，不因意识形态差异或一时一事上的分歧影响两国关系长期稳定发展。

——我们要坚持开放包容的心态，视彼此发展为自身机遇，继续灵活务实推进双方合作，加快各自发展战略对接，深化经贸、投资、金融、基建等各领域合作，加强人文交流，共促东西方文明对话，共同维护开放型世界经济和促进世界文明多样化。

——我们要坚持合作共赢的理念，推动两国关系和全方位合作不断深入发展，把中英合作和“一带一路”建设结合起来，并以中英合作良好势头助力中欧合作，助推亚欧共同发展，促进全球繁荣，实现双赢、多赢、共赢的目标。

——我们要坚持开拓进取的精神，在双方合作中做到与时俱进，不断挖掘新潜力、激发新活力、增加新动力，相互借鉴治国理政经验，助力彼此改革进程，在国际合作中敢为人先，引领世界发展和改革潮流。

女士们、先生们、朋友们！

“生存还是毁灭，这是一个问题。”哈姆雷特的这句话，给我留下了极为深刻的印象。我不到16岁就从北京来到了中国陕北的一个小村子当农民，在那里度过了7年青春时光。那个年代，我想方设法寻找莎士比亚的作品，读了《仲夏夜之梦》、《威尼斯商人》、《第十二夜》、《罗密欧与朱丽叶》、《哈姆雷特》、《奥赛罗》、《李尔王》、《麦克白》等剧本。莎士比亚笔下跌宕起伏的情节、栩栩如生的人物、如泣如诉的情感，都深深吸引着我。年轻的我，在当年陕北贫瘠的黄土地上，不断思考着“生存还是毁灭”的问题，最后我立下为祖国、为人民奉献自己的信念。我相信，每个读过莎士比亚作品的人，不仅能够感受到他卓越的才华，而且能够得到深刻的人生启迪。

中国明代剧作家汤显祖被称为“东方的莎士比亚”，他创作的《牡丹亭》、《紫钗记》、《南柯记》、《邯郸记》等戏剧享誉世界。汤显祖与莎士比亚是同时代的人，他们两人都是1616年逝世的。明年是他们逝世400周年。中英两国可以共同纪念这两位文学巨匠，以此推动两国人民交流、加深相互理解。

“凡益之道，与时偕行。”培根说：“黄金时代在我们面前，而不是身后。”在今天同卡梅伦首相的会晤中，我们就开创面向21世纪全球全面战略伙伴关系“黄金时代”达成共识。让我们行动起来，抓住时代赋予的机遇，共同开启中英关系的“黄金时代”，努力为人类和平与发展的崇高事业作出新的更大的贡献！

现在，我提议：

为叶雅伦市长和伦敦金融城，干杯！

图书在版编目(CIP)数据

共倡开放包容 共促和平发展:在伦敦金融城市长晚宴上的演讲/习近平 著. —北京:人民出版社,2015.10
ISBN 978－7－01－015436－7

Ⅰ.①共… Ⅱ.①习… Ⅲ.①习近平－讲话 Ⅳ.①D2-0

中国版本图书馆 CIP 数据核字(2015)第 251946 号

(RMC－ZJDXI－027－20151021)

共倡开放包容 共促和平发展

GONGCHANG KAIFANG BAORONG GONGCU HEPING FAZHAN

——在伦敦金融城市长晚宴上的演讲

(2015 年 10 月 21 日)

习 近 平

人民出版社 出版发行
(100706 北京市东城区隆福寺街 99 号)

北京新华印刷有限公司印刷 新华书店经销

2015 年 10 月第 1 版 2015 年 10 月北京第 1 次印刷
开本: 880 毫米×1230 毫米 1/32 印张: 0.5
字数: 7 千字 印数: 00,001-10,000 册

ISBN 978－7－01－015436－7 定价:2.00 元

邮购地址 100706 北京市东城区隆福寺街 99 号
人民东方图书销售中心 电话 (010)65250042 65289539